Card Captor Sakura, Vol. 7
a été réalisé par

CLAMP
SATSUKI IGARASHI
NANASE OHKAWA
MICK NEKOI
MOKONA APAPA

JE PENSE QUE JE VAIS
VOUS CRÉER QUELQUES ENNUIS...

MAIS AVEC TOI, SAKURA,
TOUT IRA BIEN !

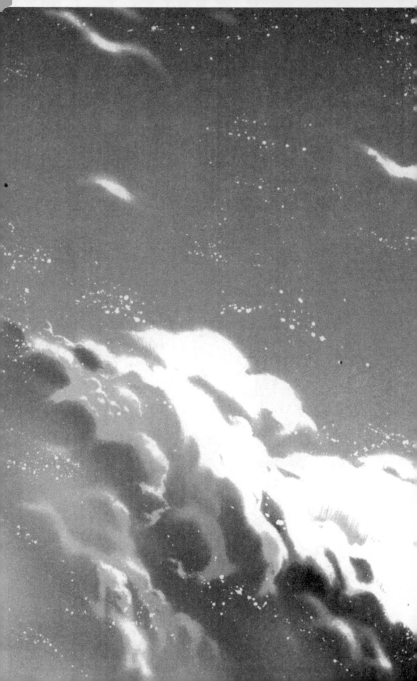

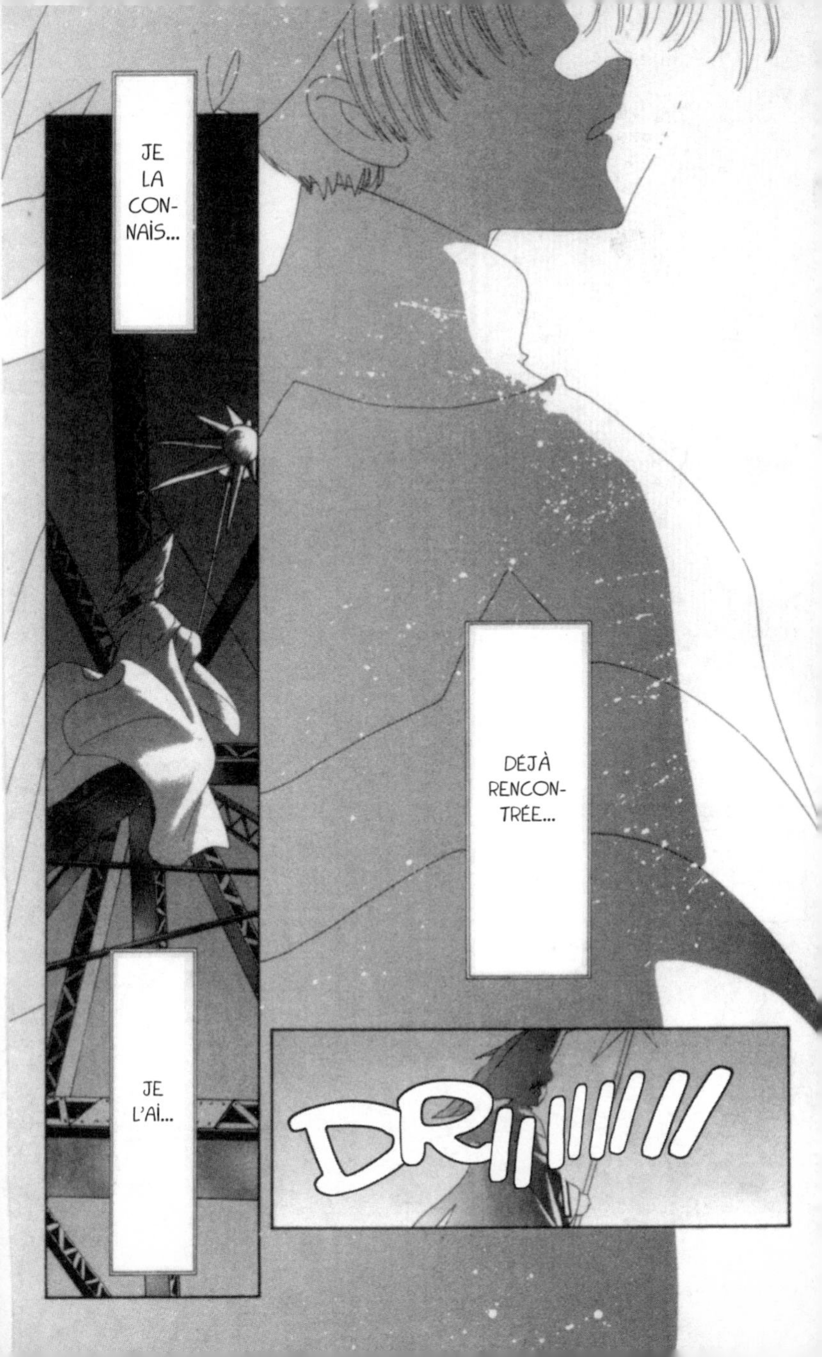
JE LA CON-NAIS...
JE L'AI...
DÉJÀ RENCON-TRÉE...
DRIIIIIII

JE M'APPELLE SAKURA KINOMOTO, ÉLÈVE DE L'ÉCOLE PRIMAIRE TOMOEDA.

MES MATIÈRES PRÉFÉRÉES SONT LE SPORT ET LA MUSIQUE. EN FAIT, LES MATHS COMMENCENT À ME PLAIRE AUSSI ! JE SUIS UNE FILLE QUI A LA FORME !

TIENS

MERCI !

LUI, C'EST KÉLO !

SON VRAI NOM C'EST KERBEROS.

C'EST LE FAUVE DU SCEAU QUI PROTÈGE LES CARTES MAGIQUES CLOW CARDS. IL N'EST PAS LA SIMPLE PETITE PELUCHE QU'IL SEMBLE ÊTRE...

MON SAC

ENFIN...

TAP
TAP

MAIS COMME POUR L'INSTANT JE NE CONTRÔLE PAS BIEN LE GRAND KÉLO. ALORS, JE LE LAISSE SOUS SA FORME DE PELUCHE...

VOICI LES CLOW CARDS !

ELLES ONT ÉTÉ FABRIQUÉES PAR UN CÉLÈBRE SORCIER, CLOW LEAD... GRÂCE À ELLES, JE PEUX UTILISER LA MAGIE.

ELLES ÉTAIENT ÉPARPILLÉES DANS LA NATURE, MAIS JE SUIS PARVENUE TANT BIEN QUE MAL À LES RASSEMBLER : ELLES M'APPAR-TIENNENT DONC DÉSORMAIS.

J'AI L'IMPRESSION QU'IL A ENCORE GRANDI RÉCEMMENT...

POF

ALORS QUE MOI, JE N'AI PAS PRIS UN CENTIMÈTRE. CHUIS JALOUUUUSE !

GRRRR

BONJOUR !

B'JOUR, PAPA ! ♡

FUJITAKA, MON PAPA.

IL ENSEIGNE L'ARCHÉOLOGIE À L'UNIVERSITÉ TOWA, À TROIS STATIONS DE BUS DE LA MAISON....

IL EST GENTIL ET IL SAIT TOUT FAIRE. JE L'ADORE ! ♡

17

COMME KÉLO, IL A ÉTÉ CRÉÉ PAR CLOW LUI-MÊME. C'EST LE JUGE DES CLOW CARDS.

YUKITO !

YUKITO TSUKI-SHIRO,

C'EST LE COPAIN DE MON FRÈRE, ILS SONT DANS LA MÊME CLASSE.

BONJOUR !

MAIS EN VRAI,

SON VRAI NOM, C'EST YUÉ !

COMME POUR KÉLO, JE NE CONTRÔLE PAS TRÈS BIEN YUÉ.

ALORS, IL RESTE DANS SA FORME D'EMPRUNT QUI EST YUKITO.

ET QUAND IL EST EN YUKITO, IL NE PARTAGE PAS LES SOUVENIRS DE YUÉ.

ET MOI, QUAND JE REGARDE YUKITO, ÇA ME FAIT... HANYAAAN ♡

BONJOUR SAKURA !

SALUT TOMOYO !

TOMOYO DAIDOJI,

C'EST MA MEILLEURE AMIE. ELLE M'A SOUVENT AIDÉE DANS LA RECHERCHE DES CLOW CARDS...

C'EST LA FILLE DE LA PDG D'UNE GRANDE MAISON DE JOUETS. ELLE EST INTELLIGENTE ET TRÈS BELLE. C'EST UNE FILLE ÉPATANTE !

QU'Y A-T-IL ?

PFF!

ET IL Y EN A ENCORE PLEIN QUE JE VOUDRAIS TE VOIR PORTER !

MAINTENANT QUE TU AS RASSEMBLÉ TOUTES LES CLOW CARDS...

TU N'AURAS PLUS L'OCCASION DE METTRE LES COSTUMES QUE J'AI FAITS POUR TOI !

AH OUI !

TOUTE FOLIE

MIZUKI KAHO

MELLE MIZUKI M'A ÉCRIT !

ELLE VA BIEN, MAÎTRESSE MIZUKI ?

MA FOI

OUI, ELLE POURSUIT SES ÉTUDES À L'ÉTRANGER.

MELLE KAHO MIKAZUKI, C'ÉTAIT LA MAÎTRESSE QUI NOUS APPRENAIT LES MATHS.

QUAND J'AI CAPTURÉ TOUTES LES CARTES, ELLE M'A BEAUCOUP AIDÉE LORS DU JUGEMENT FINAL.

ELLE EST GENTILLE ET ELLE EST TRÈS BELLE !

J'AIMERAIS BIEN LA REVOIR !

MAINTENANT, J'AI TOUTES LES CARTES, ET YUÉ M'A RECONNUE COMME ÉTANT LA NOUVELLE MAÎTRESSE DES CLOW CARDS.

C'EST BIEN COMME ÇA !

VOICI ERIOL HIIRAGIZAWA, QUI VIENT D'ANGLETERRE.

ERIOL HIIRAGIZAWA

IL Y A UNE PLACE LIBRE À CÔTÉ DE LI, LÀ !

HEIN?

COUIC

ENCHANTÉ !

ENCHANTÉ !

OUAH!

C'EST PAS UNE FILLE !

ENCHANTÉ

IL EST MIGNON !

HEIN... QU'EST-CE QUI SE PASSE ?

GRRR

ENCORE PLUS !

PIK PIK

MA FOI...

MOI AUSSI J'AI LA SENSATION QU'ON S'EST DÉJÀ CROISÉS.

C'EST DRÔLE,

ALORS QUE C'EST LA PREMIÈRE FOIS...

EH ?

ON S'EST PEUT-ÊTRE DÉJÀ VUS ?

MA FOI,
MA FOI
...

TU
DIS
?

AU
REVOIR SALUT

OH HO HO !
UN NOUVEAU !

IL Y A
UNE NOUVELLE
CHEZ MON FRÈRE
AUSSI
!

C'EST
LA
MODE,
LES
NOUVEAUX

ET LE
NOUVEAU
DE TA
CLASSE,
IL EST
COMMENT
?

ÇA...

IL
S'APPELLE
ERIOL
HIIRAGIZAWA
!

AH...

ERIOL
RESSEMBLE
PEUT-ÊTRE
UN PEU À
PAPA...

FLOC
FLOC

QUELLE
PLUIE ! JE
SUIS CONTENT
D'AVOIR RENTRÉ
LE LINGE CE
MATIN.

C'EST
ÉTRANGE,
CETTE
PLUIE...

48

SHHH HHHH

FROUCH FROUCH

DIS, KÉLO...

DOOSH

ÇA ALORS, POURQUOI EST-CE QUE MA MAGIE N'A RIEN FAIT DU TOUT...

SAKURA...

IL FAUT QUE TU DISES À YUKITO DE VENIR DEMAIN.

YUKITO ? MAIS POURQUOI ?

IL FAUT QUE JE CAUSE À YUÉ...

JE DOIS M'ASSURER DE QUELQUE CHOSE

18
ERIOL HIIRAGIZAWA

DATE DE NAISSANCE
23 MARS

GROUPE SANGUIN
AB

MATIÈRE PRÉFÉRÉE
AUCUNE

MATIÈRE DÉTESTÉE
AUCUNE

CLUB FRÉQUENTÉ
AUCUN

COULEUR FAVORITE
NOIR

FLEUR PRÉFÉRÉE
FLEUR DE CERISIER

METS FAVORIS
LES CHOSES SUCRÉES

METS DÉTESTÉS
AUCUN

SAIT CUISINER
TOUTES SORTES DE GÂTEAUX

AIMERAIT BIEN
TOP SECRET...

ERIOL HIIRAGIZAWA

AOUH !

MAIS S'IL Y A QUELQUE CHOSE DE BON À MANGER, IL VOUDRA BIEN VENIR...

C'EST TOUT LUI, ÇA !

FLOP

JE CUISINE ! JE M'OCCUPE DE PRÉPARER LE REPAS DE CE SOIR !

BON, JE VAIS L'INVITER POUR VOIR...

C'EST SI RARE QUE MISS GODZILLA CUISINE...

MAIS IL MET PEUT-ÊTRE SA VIE EN PÉRIL !

QU'EST-CE QUE ÇA VEUT DIRE ?

MAIS..

JE ME DEMANDE CE QUE KÉLO VEUT DIRE À YUÉ !

SANS DOUTE RAPPORT À HIER...

LA PLUIE NE SE CALME PAS...

IL PARAÎT QU'ELLE NE TOMBE QUE SUR TOMOEDA...

ILS EN ONT PARLÉ AUX INFOS.

C'EST SÛREMENT UN ÉVÉNEMENT SURNATUREL... OH OUI !

OH OUI !!!

C'EST BIZARRE CETTE PLUIE !

POURTANT, J'AI RÉCUPÉRÉ TOUTES LES CARTES... ALORS POURQUOI ?

SHHH

HHHHHHH

LA CLOW CARD ?

ELLE A ÉTÉ ABSORBÉE,

ET QUAND ON A ÉTÉ ATTA-QUÉS,

CELA A TRAVERSÉ MON BOUCLIER SHIELD !

MAIS TU AS BIEN ÉCRIT TON NOM SUR CHAQUE CARTE !

OUI !

QUE SE PASSE-T-IL ?

JE SUIS SÛR QUE ÇA A UN RAPPORT AVEC LUI...

MAIS ON A TOUTES LES CARTES !

64

OH C'EST SAKURA !

HEIN ? OÙ ÇA ?

ZOUP

POURQUOI ELLE EST AVEC CE VAURIEN ?

AH OUI !

TU AS DE BONS YEUX, TOYA !

YUKI...

TOYAAAAA !

LE PROF TE CHERCHE !

RAPPORTE VITE LES PHOTOCOPIES !

GRIP

URGH

J'Y VAIS !

YUKI, PASSE-MOI TES COPIES...

JE VAIS TOUT LUI APPORTER.

C'EST LOURD

AKIZUKI...

APPELLE-MOI NAKURU !

70

SHHHHH

C'ÉTAIT UN DÉLICE !

TROP BON !

TU FAIS TRÈS BIEN LA CUISINE, SAKURA !

TON GRATIN DE VIANDE HACHÉE ÉTAIT SUPER

PLOP

MOI, JE VAIS BOSSER !

MERCI BIEN !

JE VAIS T'AIDER À RANGER...

JE TE DOIS BIEN ÇA !

IL PLEUT ENCORE...

73

GLOU
GLOU

HUM?

WOEEEE!

TON THÉ, YUÉ !

IL NE MANGE PAS DE NOURRITURE.

IL A RANGÉ SES AILES ENCOMBRANTES

WOÉ ?

AH BON !

MAIS TOI KÉLO, TU TE GAVES DE SUCRERIES, NON ?

PFF

C'EST TA SEULE RAISON POUR MANGER ?

RIEN NE M'OBLIGE À MANGER, MAIS IL FAUT BIEN QUE JE ME DISTINGUE DE YUÉ.

IL FAUT PROFITER DE LA VIE !

ENCORE !

VIDE

OUI !

TAP

TAP

77

J'AI TÉLÉPHONÉ : ELLE EST SORTIE DÎNER AVEC SA MÈRE

ET TOMOYO ?

YUÉ, YUKITO N'A VRAIMENT AUCUN SOUVENIR DE SA TRANSFORMATION ?

QUAND IL EST YUE...

NON !

ET L'INVERSE EST VRAI, ALORS ?

QUAND TU REDEVIENS YUKITO...

NON, MOI JE GARDE LA MÉMOIRE DE CE QUI SE PASSE QUAND JE PRENDS L'AUTRE FORME...

ÇA ME REND UN PEU NERVEUSE;

J'AI DU MAL À IMAGINER QUE YUKITO

ET YUÉ SONT UN MÊME INDIVIDU.

AH, AH BON ?

YUÉ EST TRÈS BEAU...

MAIS YUKITO...

GLOOOOOOOOOM

FWOO
FWOO

ELLE A ENCORE PROGRESSÉ !

EST-CE QU'ELLE POSSÈDE UNE NOUVELLE MAGIE ?

JE NE SAIS PAS, MAIS CELA DEVIENT TRÈS INTÉRESSANT !

❀ FIN ❀

LE SOLEIL...

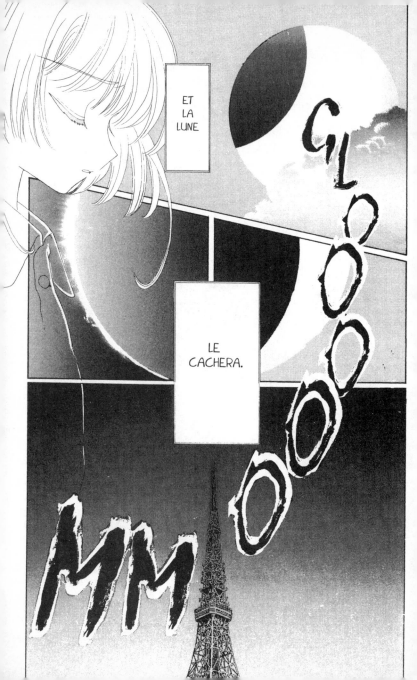

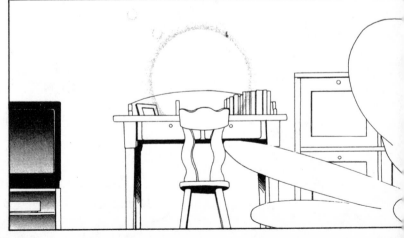

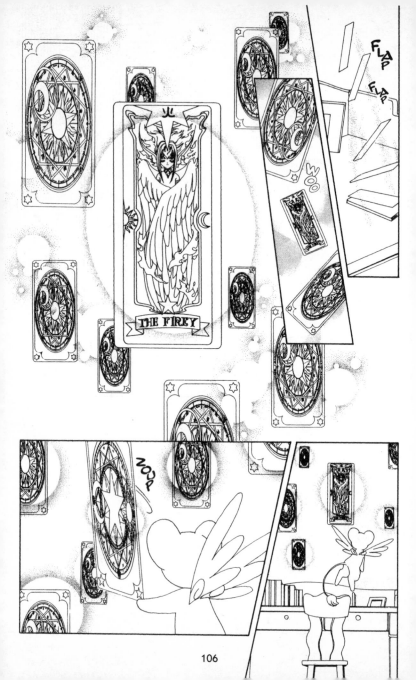

THE FIREY

LA
CARTE A
CHANGÉ...

113

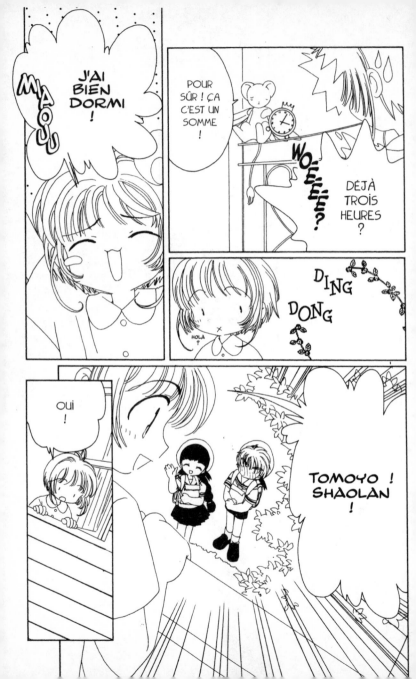

COMMENT TE PORTES-TU ?

ELLE S'EST CHANGÉE !

PAS DE PROBLÈME ! J'AVAIS JUSTE TRÈS SOMMEIL !

ELLE A BIEN ROUPILLÉ

KÊLO !

AU FAIT...

NOUS LES AVONS FAITS EN COURS DE TRAVAUX MÉNAGERS.

ON TE LES A APPORTÉS !

CELUI-CI, C'EST MOI QUI L'AI FAIT

ET VOICI CELUI DE LI !

ILS ONT L'AIR DÉLICIEUX !

MERCI, SHAOLAN !

MERCI AUSSI À TOI TOMOYO !

PLOOP

MAIS,

POURQUOI EST-CE QUE CETTE FOIS-CI TU AS EU BESOIN DE DORMIR ?

C'EST BON !

DIS DONC !!!

CELUI DU MIOCHE N'EST PAS TROP MAL

ÇA N'ÉTAIT JAMAIS ARRIVÉ AVANT !

NON !

POURTANT, TU ARRIVES SOUVENT EN RETARD EN COURS !

ÇA, C'EST AUTRE CHOSE !

PARCE QU'ELLE A RENOUVELÉ UNE CARTE...

HEIN ?

HIER, LORSQUE SAKURA A UTILISÉ FIREY,

UNE SPHÈRE DE MAGIE DIFFÉRENTE DE CELLE DE CLOW EST APPARUE.

REGARDEZ !

119

SEULE LA CARTE FIREY N'EST PLUS COMME AVANT.

THE FIREY

C'EST VRAI !

MÊME LE VERSO DE LA CARTE EST DIFFÉRENT.

C'EST LE REFLET DE LA SPHÈRE MAGIQUE QUI EST APPARUE LORSQUE TU AS UTILISÉ TA MAGIE.

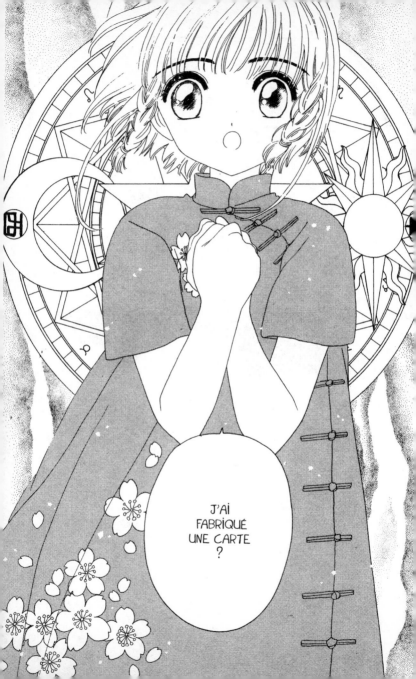

CELA SIGNIFIE...

CE N'EST PLUS UNE CLOW CARD CAR ELLE EST BEL ET BIEN DEVENUE UNE PETITE SAKURA CARD.

WOÉ?

IMAGINATION

AVEC LES PETITES SAKURA CARDS QUE TU AURAS TOI-MÊME FABRIQUÉES, TU SERAS CAPABLE DE TE BATTRE CONTRE DES MAGIES TRÈS PUISSANTES !

C'EST MAGNIFIQUE !

LE CHANGEMENT DE BAGUETTE, C'EST LA PROMESSE DE NOUVELLES BATAILLES !

« PETITE SAKURA CARD » C'EST UN PEU...

ALORS « CARTE SAKURA » ?

ÇA ME FAIT PENSER À UNE BANQUE ?

« CARTE SAKURA »

IMAGINATION

AU JAPON, IL EXISTE UNE GRANDE BANQUE NOMMÉE SAKURA GINKO. ET LEURS CARTES DE RETRAIT SONT DONC DES « CARTES SAKURA ».

ALORS, ELLE S'EST ENDORMIE...

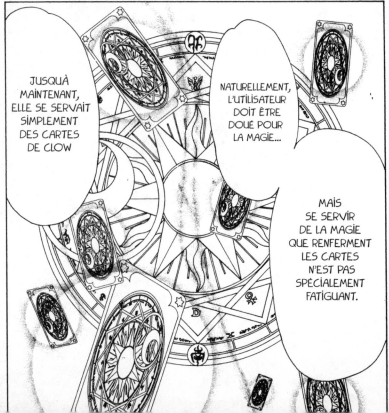

JUSQU'À MAINTENANT, ELLE SE SERVAIT SIMPLEMENT DES CARTES DE CLOW

NATURELLEMENT, L'UTILISATEUR DOIT ÊTRE DOUÉ POUR LA MAGIE...

MAIS SE SERVIR DE LA MAGIE QUE RENFERMENT LES CARTES N'EST PAS SPÉCIALEMENT FATIGUANT.

HIER SOIR,

QUAND TU ÉTAIS EN DANGER, YUÉ ET MOI N'AVONS RIEN PU FAIRE.

NE TE TRACASSE PAS POUR ÇA, TOUT S'EST BIEN FINI !

NON, CELA ME PRÉOCCUPE À JUSTE TITRE !

POURTANT NOUS N'AVONS PAS PU BOUGER D'UN POUCE.

À LA LIMITE, SI NOUS ÉTIONS DANS NOS FORMES SIMPLES...

MAIS YUÉ ET MOI ÉTIONS SOUS NOTRE VÉRITABLE APPARENCE !

126

128

OUI...

PUISQUE C'EST L'ENDROIT OÙ JE SUIS MORT...

135

RUBY
MOON

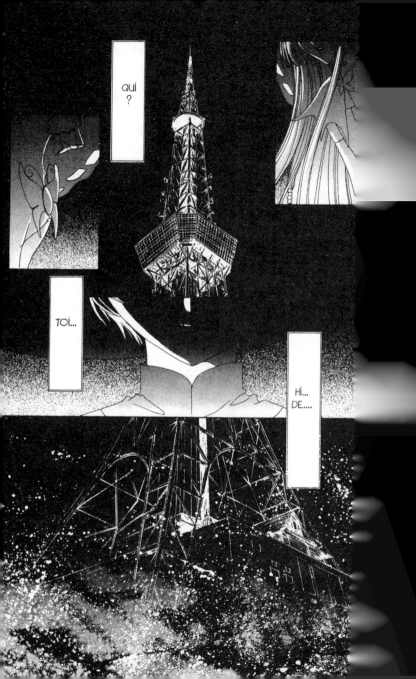

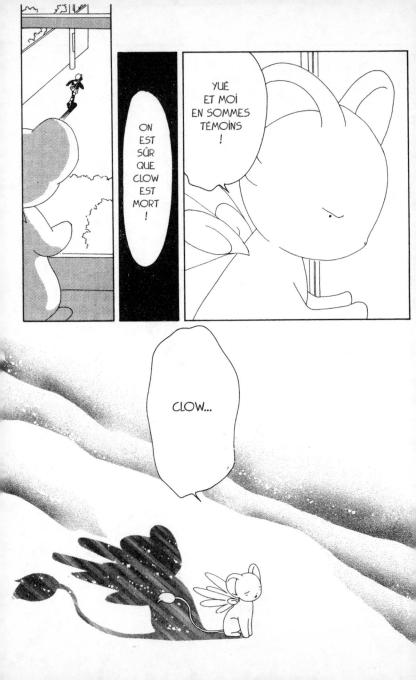

C'EST VRAI QUE C'EST BON !

LIKA EST DOUÉE POUR TOUT !

VRAI !

PARDON !

JE PEUX CONTINUER MA COUTURE ?

BIEN SÛR !

OH ! IL EST MIGNON !

TU L'AS FAIT TOI-MÊME ?

SUPER !

SUPER !

J'AI APPRIS AVEC UN LIVRE...

OUI !

IL NE MANQUE PLUS QUE LES MAINS ?

TOUC TOUC

OUI, OUI !

148

151

MAIS C'EST UN OBSTACLE ENTRE MOI

ET CE QUE JE DÉSIRE...

SPINEL SUN

PETIT NOM
SUPPY

DATE DE NAISSANCE
INCONNUE

METS PRÉFÉRÉS
PLATS ÉPICÉS

METS DÉTESTÉS
PLATS SUCRÉS

APPRÉCIE
LA LECTURE

COULEURS FAVORITES
NOIR ET VERT

LIVRES PRÉFÉRÉS
CEUX QUI TRAITENT
DE SORCELLERIE

FLEUR PRÉFÉRÉE
PAVOT

AIMERAIT BIEN
UNE AMBIANCE FEUTRÉE

LIEU DE RÉSIDENCE
MAISON D'ERIOL

VRAIE FORME
PANTHÈRE NOIRE
AUX AILES DE PAPILLON

SPINEL SUN

CIAO !

SALUT

À DEMAIN

SAKURA,

DÉSOLÉE DE NE PAS POUVOIR T'ACCOMPAGNER À LA MERCERIE...

OH, C'EST PAS GRAVE...

TOMOYO VIENT AVEC MOI...

TU M'AIDERAS, SI JE NE COMPRENDS PAS UN TRUC ?

TAP TAP

NATUREL-LEMENT... ALORS, À DEMAIN !

SALUT !

À DEMAIN !

MAIS VERS QUI VONT LES PENSÉES DE LIKA ?

J'ESPÈRE QU'ELLE ME LE DIRA UN JOUR.

ELLE M'AIDE SI SOUVENT... COMME EN COURS DE CUISINE !

JE ME DEMANDE COMMENT LUI RENDRE LA PAREILLE.

165

FLASH

SURPRISE
!

OUPS

YUÉ
?

ELLE
FAIT DU
THÉ.

CLING   CLONG

JE NE
VEUX PAS
REPRENDRE
MA FORME
INITIALE.

170

IL Y A UN RESPONSABLE À CELA...

MAIS CE YUKITO...

ZIP

EUH...

VOILÀ LE THÉ...

TU N'EN VEUX VRAIMENT PAS YUE ?

JE REPRENDS L'AUTRE FORME.

EH ?

HEIN ?

PAS SI VITE !

HUF HUF

FLASH

CLIP

JE NE ME TROUVAIS PAS DANS L'ENTRÉE ?

HUM...

PLANQUÉ !

HUF HUF

WOEEEE !

CLING

CLONG

ÇA A PFF ÉTÉ DUR FFU DE FAIRE PASSER ÇA.

YUPIPO EST VRAIMENT TROP NAÏF !

RÉPÈTE VOIR ?

GONG

172

Titre original :
CARD CAPTOR SAKURA, vol. 7
© 1998 CLAMP
All Rights Reserved
First published in Japan in 1998
by Kodansha Ltd., Tokyo
French publication rights
arranged through Kodansha Ltd.
French translation rights : Pika Édition

Traduction et adaptation : Reyda Seddiki
Lettrage : Sébastien Douaud

L'édition originale de cet ouvrage
a été publiée dans le sens de lecture
japonais. Les images ont été retournées
pour l'édition française.

© 2000 Pika Édition
ISBN : 2-84599-079-0
Dépôt légal : décembre 2000
Imprimé en Belgique par Walleyndruk
Diffusion : Hachette Livre